さようなら富士ゼロックス

阪東幸成

――富士ゼロックスで働いた人、そして富士ゼロックスと関わったすべての人のために

ゼロックスか、富士ゼロックスか、それが問題だ

二〇二一年三月三一日を最後に、富士ゼロックスが世の中から消える。四月一日から富士フイルムビジネスイノベーションと富士フイルムビジネスイノベーションジャパンというふたつの会社に分割され、日本からゼロックスの文字が消えてしまうのだ。富士ゼロックスの創業は一九六二年のことだから人間だったら六〇歳の定年を間近にして、一身上の都合で早期退職するといったところだろう。で、その一身上の都合というのが、一身上の都合にありがちな身内のゴタゴタで、骨肉の争いがいつだって醜い様相を呈するように、富士ゼロックスの終わり方も例外ではなかった。

事の発端は二〇一八年に富士フイルムホールディングスが企てた米ゼロックス買収計画である。キャッシュアウトなしのややトリッキーな方法で買収しようとしたところ、米ゼロックスの株主たちの猛反発にあい、買収に合意していたはずの米ゼロックスが翻意したのだ。表向きの交渉の裏では当然水面下での話し合いも行われていたはずだが、海外との交渉に長けた海千山千の商社とちがい、富士フイルムは日本メーカーの伝統のまま真面目に、誠実に話し合っていたのだろう。合意していた経営陣が退陣を余儀なくされてしまうという波乱も含めて、物言う株主として知られるカール・アイカーン氏を中心とした株主の力を見誤ってもいたのだろう。ＸＥＲＯＸ

という米国の発明史に名を刻んだブランドが日本に買い取られ、ＸＥＲＯＸの上にＦＵＪＩを冠してＦＵＪＩ　ＸＥＲＯＸとなることが愛国的な反発を招いたとか、キャッシュアウトなしで買収するという奇策がパールハーバーを思い出させたという説もあった。

　わたしは大半の株主がただ単にどっちが得かを考え、旗振り役のアイカーン氏サイドに付いた方が有利だと判断したのだと思ってはいる。それでもなお、もし富士フイルムがこの最初の買収案の提示時点で米国のＸＥＲＯＸをＦＵＪＩ　ＸＥＲＯＸに社名変更するのではなく、逆に日本の富士ゼロックスをゼロックスに改名することにしていたら、状況はだいぶ変わっていたように思えてならない。子が親を飲み込んでしまったからといって、名前まで子にしてしまうのは明らかにやりすぎだった。いかにも、わたしたちがあなたたちを征服したのだから、これからはわたしたちの帽子を乗せた名を名乗ってもらう的なニュアンス、というよりはもはや宣言といっても良い意図があからさまだった。ここは本家へのリスペクトを表明するために、謙虚に一歩身を引いて、ゼロックスが発明されなければ今のわたしたちは存在しなかった、と日本の富士ゼロックスをゼロックスに改名した方が賢明だったのではないだろうか。このリスペクトは多くの株主から、米国の会社を日本の会社に乗っ取られるという意識を忘れさせる効果があったはずなのだ。しかも買収に成功すれば、長年利益性における頭痛の種だった米ゼロックスへのロイヤリティを支払うことなしに、ゼロックスのブランドが使えることになったというのに。

　仮に買収に成功していたとして、米国内での販売を考えるときＦＵＪＩ　ＸＥＲＯＸよりＸＥ

ＲＯＸの方がどれだけ売りやすかったか、逆に日本国内で富士ゼロックスからゼロックスに変えることがどれほど自然だったか、ユーザーがどれほどゼロックスというブランドを信用していたか、身内ゆえに富士フイルムはユーザーの目線で見ることができていなかった。

　富士フイルムは二〇二一年四月一日をまたいでも、しばらくの間米ゼロックスに機械を供給しつづけるが、早晩その最後の関係も終わることになるはずだ。離婚した夫が子供と一緒に暮らす元妻のもとに週に一回会いに行くようなものだ。経過措置が終われば、もう二度と会うこともない。もともと米ゼロックスは必ずしも富士ゼロックスからのみ複合機を調達していたわけではない。富士ゼロックスの競合メーカーとＯＥＭ契約を結ぶようなことを平気でやってしまう会社なのだ。ヒューレッド・パッカードの買収を企てたように、あるいは別メーカーとの合体も十分あり得る。サービスビジネスが完全に分離した別会社となって独立して以降、米ゼロックスにはもはや自社で機械を開発して製造する機能と知見と人材と体力は残っていない。超高速のカラープリンターと一部の高速機を除けば、近年は大半の製品を富士ゼロックスから輸入していた。将来を見据えたサービスビジネスに資源の多くを投入し、逆に旧来の複合機メーカーとしての機能の減量化を徹底した結果、米ゼロックスは昔富士ゼロックスがそうだったようにメーカーというよりは販売会社と化してしまったのだ。

　そう遠くない将来旧富士ゼロックスは生みの親の米ゼロックスと全面対決することになる。これから先はゼロックスというブランドを使わず、富士フイルムビジネスイノベーションジャパンという名で国内の競合メーカー、もしくは競合サービス提供会社と相対することになるのだ。

　しかし何よりも難しいのは日本国内ではなく、米国と欧州への販売になるはずだ。これまで富士ゼロックスが米ゼロックスに輸出販売して稼いでいた利益を、別の販売ルートに乗せて確保しなければならない。米ゼロックスの販売力に匹敵する販売ディーラー、もしくはＯＥＭで輸入してくれるメーカーをうまく見つけることができるだろうか。提携相手を見つけたとしても、欧米でのまったく新しいビジネスを軌道に乗せるにはそれなりの時間が必要だ。それなりの時間がどのくらいなのか、富士フイルムが訊こうとしても樹木希林はもういない。

　あるいは短期的な視点でそう見るのは悲観的過ぎるかもしれない。逆の見方をするなら、これまで国内で販売する機器やサービスに対して米ゼロックスに永遠のロイヤリティを支払いつつ、同時に薄利で輸出販売せざるを得なかった関係をすっきり清算できたと考えるべきなのかもしれない。「倍返しだ！」と解き放たれた欧米の巨大市場でどれだけ暴れても、叱りつけてくる親はもう存在しないのだ。それでも確実にいえることは、米ゼロックスが富士フイルムビジネスイノベーションから機器を購入しなくなった瞬間に空く巨大な穴は一朝一夕には埋まらないということだ。今まちがいなく、富士フイルムホールディングスはこの穴埋めのための準備を全力、全速で進めているはずだ。米ゼロックスが新しいパートナーを見つける前に販路を確保しておかないと、空いた穴は富士フイルムビジネスイノベーションの利益を吸い込む底知れぬブラックホールとなってしまうだろう。

富士フイルムと富士ゼロックスの知られざる関係

富士フイルムホールディングスが米ゼロックスを買収するという噂は、以前から富士ゼロックス社内に流布している定番の噂だったが、それでもわたしを含めた古参の社員たちの多くは「そんなことになるはずがない」と思っていた。なるはずがないというのは裏を返せば、なって欲しくないという気持ちでもあって、このあたりの心情に富士フイルムと富士ゼロックスの奇妙な関係性がある。そもそも富士ゼロックスの富士が富士フイルムの富士であることを知っていた人はどれだけいたのだろうか。わたし自身の感覚からいうと、買収騒動が起きる前までは富士ゼロックスが富士フイルムホールディングス傘下の企業だと認識していた人はかなり少数派だ。わたしは一九八一年の新卒で富士ゼロックスに入社して以来、定年退職した二〇一八年までの三八年間、一貫して営業畑で働いてきた。客先での雑談で社名の話になったとき、富士ゼロックスが富士フイルムとゼロックスの合弁会社（正確にいうと設立当初は英国のランクゼロックス社との合弁）であることを説明すると、大概の顧客は「へー、知らなかった」という反応を返した。最も多かったのが、富士通の関連会社であるという誤解で、次が日本のゼロックスだから象徴としての富士を冠したという思い込みで、いずれにしても富士フイルムと富士ゼロックスが親子関係にあることを知っている顧客は極めて少なかった。

それもそのはずで、なんといってもわたしたち富士ゼロックスの社員自身が、長い間、富士フイルムグループの一員であるという認識を持っていなかったのだ。せいぜい風邪を引いて病院へ行き、財布から健康保険証を引っ張り出すときに、富士フイルム健康保険組合と記載してあるのを見て、そういえばオレって富士フイルムと関係あるんだ、と思う程度のことだった。

　言葉を換えれば、わたしたちは自分たちをゼロックスグループの一員と認識していたのだ。だから富士フイルムがゼロックスを買収するという噂が出る度に、そんなはずはない、そんなことにはなって欲しくない、と思いつづけた。買収騒動が起きる二〇年前から、すでにして富士ゼロックスは富士フイルムホールディングスが七五％の株を保有する、れっきとした連結子会社であったにもかかわらず、社員の気分的な立ち位置としては二五％しか株を保有していないゼロックス側にいた。そういったわたしたちの思い込みは、なによりも富士フイルムが長い間富士ゼロックスに対して取ってきた徹底した放任主義に起因している。富士フイルムは設立時の数年を除いて、二〇〇一年にゼロックスから二五％の株を買い受けて七五％の連結子会社化するまで、三九年の長きに渡り、富士ゼロックスの経営にはほとんど、というより一切口を挟んでこなかったのだ。これはゼロックス五〇％、富士フイルム五〇％という、どこかしらアンタッチャブルな持ち株比率に寄るところもあっただろうが、なんといっても富士フイルム三代目の社長、小林節太郎の息子である小林陽太郎が富士ゼロックスを経営しているという事実が大きかった。日本経済界のサラブレッドと呼ばれた小林陽太郎に口を出せる富士フイルム幹部はいなかったのだ。

メーカーの衣を着た販売会社

富士ゼロックスはあらゆる点で米ゼロックスを手本にしてきた。設立された一九六二年からほぼ一〇年間、富士ゼロックスは複写機メーカーではなく、米ゼロックス社から輸入したコピー機を主にレンタルで取り扱う販売会社でしかなかったが、その一〇年の間にその後半世紀以上、連綿と引き継がれていく営業手法を身につけた。その核心に半年に及ぶ新人営業研修があり、新卒社員は長期間にわたって自宅を離れ、研修所で共同生活をするのが決まりとなった。

販売会社としてスタートしたこの歴史的事実はその後の富士ゼロックスの社内文化の形成に大きな影響を及ぼした。企業にはそれぞれの歴史や成り立ち方がある。企業、もしくは会社は組織であっても存在ではない。本社ビルが赤坂に立っていても、それは単なるコンクリートの塊に過ぎず、株式市場に銘柄として登録されてはいても、実態としては存在していないのだ。つまり会社組織というのは便宜的に実在しているように見せかけた人間集団の化身だ。だからこそ独自の文化や社風が生まれ、それが次世代へと引き継がれていく。本田宗一郎という技術者が技術革新とオリジナリティを標榜する本田技研工業の文化そのものに変容して、今なお生きつづけているように、富士ゼロックスも販売会社だった黎明期の方向性がその後の社風を確定させた。

一般的にいえばメーカーである限り、どんなにマーケティングに力を入れようが、モノづくりが企業基盤にあるのが一般的だ。極端なことをいえば、メーカーは良いものを作れば売れると考えるのが基本的なスタンスである。しかし富士ゼロックスにはどこかしらちがう気風がある。

乱暴にいってしまうことが許されるなら、富士ゼロックスはメーカーの衣を着た永遠の販売会社だったと思う。これはわたしが販売サイドにいたからそう見えていたというわけではなく、販売会社時代の一〇年間に育まれた三つ子の魂が社風を決定づけたように思えるからだ。あるいはその後メーカーとなってからも、販売現場から「これじゃ競合に勝てない」とせっつかれた幼児体験が開発サイドのトラウマとして残っているのかもしれない。

富士ゼロックスは世間からの見え方に反して、競合他社と比較して必ずしも、より高性能の機械を生み出してきたわけではなかった。確かに大企業が必要とする高速のコピー機、超高速機のコピー機では競合に対して優位性のある機械が多かったかもしれないが、それらは当初から皆、米ゼロックスが開発製造したものだったのだ。

富士ゼロックスがメーカーとして名乗りを上げた一九七三年以降、開発製造を始めた中速機、低速機に関しては機能的には劣勢がつづいた。今の機械は原稿台のガラスの下をセンサーが移動して原稿を読み取っているけれども、当時、富士ゼロックスの小型機はプラテンと呼ばれる原稿台そのものが動いて原稿を読み取る方式だった。少なくとも一九七〇年代後半から八〇年代前半にかけて、富士ゼロックスの小型機は営業として極めて売りにくい代物だったのだ。

セールスマンとセールスレップ

わたしは大学で何ひとつ勉強をしなかった。留年せずに卒業できたのは奇跡だったが、就職できたのはコネだった。母方の従兄弟に富士ゼロックスの役員がいて、大学四年間のA評価が八つだけの劣等生をあっさりと採用してくれたのだ。入社してわかったが、同期入社の仲間は皆似たり寄ったりのコネで入社した劣等生、もしくは体力と気合の体育会出身者ばかりであった。つまるところ会社はわたしたちの頭にはこれっぽっちも期待していなかったのだ。

当時、富士ゼロックスは大規模な研修所をいくつか持っていて、営業系は千葉の流山、技術系は神奈川の塚原で長期研修を受けた。これは米国のヴァージニア州リーズバーグにあったトレーニングセンターを真似たもので、施設だけではなく教育プログラムもほぼ米国に倣ったものだった。もともとゼロックスは代理店を通さずにメーカーがレンタルする直販方式を採用していて、販売員をセールスマン、セールスウーマンと呼ばず、セールスレップ（レプレゼンタティブの略）と呼んでいた。わたしたち新入社員も研修の第一日目にトレーナーから「キミたちはセールスマンではなくセールスレップ、すなわち富士ゼロックスの代表者なんだ」と聞かされた。何となくごまかされた感じもあったが、セールスマンじゃないのは悪くないと思った。

営業系の新卒だけで総勢百五十人近くいて、小学校のようにクラス分けされ、各クラスごとに担任の先生ならぬ、担当トレーナーがいた。六人部屋の共同生活にプライバシーはゼロだったし、コピー機の機能を説明するための二〇ページほどの原稿（デモスクリプト。通称デモスク）を丸暗記し、チームで発表する際に一人が失敗するとチームの全体責任となる軍隊式のトレーニングは苦痛だった。配属発表は大学入試の合格発表のように中庭に立てた掲示板に張り出された。わたしは東京第二支社（トウニと呼ばれていた）城北営業所の板橋出張所に配属された。

　当時の富士ゼロックスの営業部隊は他社ユーザー（ノンユーザー、もしくはただノンと呼んだ）を攻略するセールスレップとユーザーを守るCSO（カストマー・サービス・オフィサー）の二手に完全に分かれていて、新卒男子はセールスレップ、新卒女子がCSOと決まっていた。したがってセールスレップは常にアウェイが戦いの場で、ユーザーとの雑談などで一服するような機会も与えられていなかった。

　富士ゼロックスが直販を基本とした一方で、富士フイルムは製品をユーザーへ直接販売することはほぼなかった。このあたりが富士ゼロックスと富士フイルムの販売方式における最も大きなちがいである。富士フイルムサイドから見ると富士ゼロックスの営業部隊は訓練されたプロフェッショナル集団に見えていたらしい。プロフェッショナルであり、会社の代表者でもあるはずのわたしは、配属されてからの二年間、しかし仕事をサボってばかりいた。少なく見積もっても一日の半分以上、正直にいえば一日の大半を、富士ゼロックスの代表として喫茶店で過ごした。サボりたくてサボっているのではなく、次のドアをノックする気力と勇気が出てこず、いたたまれずに退避していたのだ。

当時わたしが担当していたのは板橋区の池袋寄りの半分で、町工場が多かった。どうやったらひとりの男をこれほどぞんざいに扱うことができるのかという態度の人たちが多かった。連日訪れるコピー機のセールスマンに飽き飽きしているだろうことは理解できたが、前野町の紙工場で「あんた、なんで大学出て、コピー機なんて売ってんの？」といわれたときには、腹が立つより同意する気持ちの方が強かった。なんでオレは大学出てコピー機売ってるんだろうか。

サボればサボるほどに一歩先を踏み出せなくなった。死にたいとは思わなかったが、新宿営業所の先輩が工事現場で落下物に当たって大怪我をしたと聞いたとき、心の底から羨ましいと思った。入院すれば営業しなくて済むと本気で考えたのだから、わたしの心はかなり病んでいたはずだ。顧客訪問をしないから売れるはずもなく、必然的に「売れないセールス」というレッテルを貼られ、一人の男としてのプライドは社外と社内の両面からズタズタにされた。

この頃の経験で最も強く記憶に残っているのは鎌倉での出来事だ。セールスコール（電話ではなく、訪問のことをコールと呼び、上司からは「コール数が足りない」やら「コールの質が悪い」だのいわれた）がつくづく嫌になり、このままでは精神的に参ってしまうという言い訳のもと、気分転換に鎌倉を歩こうと思った。もちろん平日の仕事中にである。

萌え出た若葉が薫風に揺れるほんとうに清々しい日和だった。銭洗い弁天から北鎌倉に抜け、さらにあてどもなく歩くうちに袋小路のような地域に迷い込み、視界が開けたと思ったら、そこは小学校の校庭裏だった。校庭越しに校舎を見上げたり、足元に目を落としながら、小学生の頃は良かった、セールスしなくて良い時代もあったんだなあ、と思ううちに気持ちが沈んできた。

そんなとき、ふいに校舎のどこかから、突然、

「あっ、セールスマンだー！」

という男の子の大声が発せられたのだった。おそらくはビジネスバッグをぶら下げながらトボトボと歩く姿が印象的だったのだろうが、その一言はわたしの身体を毒矢となって突き刺した。その場に倒れ込みそうなところを、声が聴こえなかったふりをして歩きつづけたわたしだったが、心から辛かった。それはまるで売れないセールスマンを主人公にしたドラマの一シーンが、現実となって眼前で繰り広げられているようだった。たとえ目の前にその小学生が現れても「オレはセールスマンじゃなくて、セールスレップだ」と主張することすらできなかっただろう。


もしも悪魔か天使が耳元で「この時代に戻るなら四〇歳若返らせてあげるよ」囁いても、わたしは鉄よりも硬い意志をもってその甘い申し出を拒絶し、心の底から老化を愉しむ。

わたしがそんなドン底から這い上がることができたのは配属されて丸二年経った頃、新卒で板橋出張所に配属されてきた後輩Kヤマケイコのおかげだ。上司からKヤマの指導を任され、わたしは自分が先輩になったことを知った。女性の後輩にみっともない姿を見せるわけはいかない、それどころかカッコ良い姿を見せなければならないと思ったのだった。わたしは決して体育会系の気力体力を有した男ではなかったが、それでもかなり単純ではあった。

コピー機は車ではない

このように八〇年代前半は富士ゼロックスがメーカーとして、親としてのゼロックスの見様見真似で独り立ちしようと四苦八苦していた時期だったが、売上と利益に関しては順調に推移してもいた。富士ゼロックスの収益は必ずしも機械を販売することによって上がる、いわゆる箱売りによる収益を基盤としてはいなかったからだ。たとえ新しいコピー機が売れなくても、貸し出している機械のレンタルサービス料金、あるいは機械を販売した後に発生しつづけるトータルサービス料金と呼ばれるメンテナンス及び消耗品契約が日銭を稼いでくれるからである。今でこそソフトウエアやアプリもパッケージ販売よりサブスク契約が主流となったが、米国ゼロックスは半世紀以上前に、今のサブスク契約であるところのレンタル方式というビジネスモデルを始めていたのである。

販売方法やサポート体制を米国ゼロックスに倣った富士ゼロックスは当時、我々はコピー機を売っているのではなく、お客様にサービスを提供して、その対価をご負担していただいているのだと力説していた。そのためのレンタルサービス契約であり、トータルサービス契約なのだと力説していた。なぜ力説しつづけなければならなかったかというと、レンタル契約はともかく、コピー機を購入したというのに、なぜその後もお金を支払いつづけるトータルサービス契約が必要なのか？　という質問というか疑義というかクレームというか、たぶんかなり素朴な疑問、に答えなければならなかったからである。この点に関しては新人研修時代にロールプレイなどで徹底して身に付けさせられた。顧客からそういった種類の質問があった場合、まずは何よりもコピー機を車に喩えて納得してもらえと指導された。

「車と同じと考えていただくと、おわかりいただけると思います。車を買ってもガソリンを入れないと走ることができませんし、故障したときには修理が必要です。自賠責はもとより、任意保険も必要です。トータルサービス契約はそんなすべてをひとつの契約でカバーし、保証するための万全を期した総合契約なんです」

　納得していただけただろうか？　理屈は合っているし、どこにも矛盾したところがない。だからなんとなくというか、渋々というか、仕方なくというか、最終的には了承する。

　しかしながら、わたしの富士ゼロックス人生の中で、たったひとりだけ真実を突いた女性の顧客がいた。

「だってコピー機って、車じゃないでしょ」

　このすべてを見透かした鋭い発言に対して、わたしが咄嗟にどうオブジェクション・ハンドリングしたか（顧客のネガティブな発言に対して、納得してもらえる有効な切り返しをすることをいうのだが、何事につけすべてが米国ゼロックスの教本にしたがっているために、やたらと英語が多かった）、残念ながら覚えていない。

彼女の一言は、もしかすると思いつきの一言だったかもしれないが、結果的にトータルサービス契約の核心を突いていた。というのも車であれば、ガソリンはガソリンスタンドで入れ、保険は保険会社と契約し、ぶつけたら修理屋に出すし、タイヤを替えたかったら車用品店へ行く。つまり車は日本社会で経済をぐるりと回す役割を果たしている。これこそ企業が国から求められている本質的な経済活動である。好きなだけ儲けてくれて良い、だけどしっかり日本経済を動かす使命を忘れないでくれよ、ということなのだ。雇用を創出し、必要とされる物を作り、もしくは必要なサービスを提供し、法人税を払うことだけが企業に与えられた使命ではないのだ。自動車メーカーはネジの部品調達から始まって、完成した車を買ってドライブに出かけた人物が、道の駅で土産物を買うまでのあらゆるプロセスで日本経済を回している。車は「移動する経済」なのだ。

そんな正しい自動車業界に比べると、複写機業界のやっていることは我田引水以外の何物でもなかった。機械が故障しても最寄りの事務機店では修理できないし、トナーがなくなっても出入りしている文具店には置いてないのだ。すべての水が複写機メーカーに流れ込むような仕掛けになっていた。

オブジェクション・ハンドリングというのは、セールストークの中核をなす基本スキルで、想定される反応に対して、どう答えるかをあらかじめ予想し、成約に向かう流れに乗せることのできる回答を用意しておかないとならない。ベテランセールスと新人セールスのちがいが最も顕著に現れてしまうスキルで、アドリブも含めてこればかりは経験あるのみだった。件の女性に対して自分がどういったハンドリングをしたかは記憶にないにしても、おそらくわたしの営業スタイルからいって、素直に負けを認めて、彼女の頭の回転の速さを褒め称えたと思う。議論に負けてそれを認めると、不思議と相手は心を開いてくれる。議論に負けて、営業に勝つという方法もある。

一方、トータルサービス契約に関して、逆に一番多かったのが、

「じゃあコピー用紙もついてくるんだよね」

という反応で、顧客は別に理屈の隙を突いてきているわけではなく、ただ単純にそう思い込むのだ。これはどうにもハンドリングのしようがなかった。そもそもの喩えが不完全だからいけないのだが、他に良い例は思いつかず、

「スミマセン、紙だけは別です」

と芸も何もなく、答える他になかった。

先輩と同行することにより、多くのオブジェクション・ハンドリングを学ぶことができたが、トータルサービス契約に関していうなら、絶対にわたしには使えない詭弁でかわすセールスもいた。その先輩曰く、

「コピー機というのは壊れることが前提で販売されている、いわば未完成品で、だからこそアフターサービスが重要となってくるんです」

スゴいと思った。未完製品を堂々と謳って売るなんてことは、わたしのスキルでは絶対にムリだと思った。しかしながら当時のコピー機は、その先輩のトークが成立する環境であったことも

事実で、ほんとうによく紙詰まりを起こして使用不能になっていた。

この頃の富士ゼロックスの顧客は、レンタルサービス契約であれ、トータルサービス契約であれ、七人の侍によって強固に守られているとされていた。七人の侍とはセールスレップ、ＣＳＯ（大型機やシステム機の操作説明をするインストラクトレスを含む）、サービスエンジニア、スペシャリスト、テレフォンセンター（故障受付センター）、消耗品の定期自動配送の七つの機能のことで、富士ゼロックスと他社の最大のちがいは、これらのすべてがメーカーで直管理されていることだった。

七人の侍がこじつけだとしても、すべてのサービスが一貫してメーカー直で運営されているというシステムは、顧客サイドから見ても、理想的な体制だったと今でも固く信じている。そして顧客へのサービスを提供している側のわたしたちにとっても、トラブルがあった際に、何がどこで起こっていて、問題は何なのかを把握し、対応するために、極めてシンプルで有効な体制だった。しかもこの七つの機能のうち、消耗品配送を除く六つの機能が自分の所属する営業所の中にあったのだ。定年退職したからといって、わたしに昔を懐かしむ趣味はない。富士ゼロックスという会社がなくなってしまうこの際に、社風や良かったところや悪かったところをなるべく客観的に記して残しておきたいと思って、この小冊子の制作を思い立ったわけだが、それでも富士ゼロックスが一企業として最も筋が通っていたのは直販を売りにしていたこの時代だったように思う。

富士ゼロックスの営業力

あらゆる点で米ゼロックスを規範にしていた富士ゼロックスは、セールスへの報酬に関しても似たような制度を設けたが、米ゼロックスのような歩合制は取らず、大半の日本企業同様のサラリー制を採用していた。つまり売っても、売らなくても月々の給料とボーナスに変化はなかった（半期ごとの人事評定がボーナスに反映されるようになったのは二〇世紀末に始まった「新人事制度」以降のことだ）。その頃の営業力とは、すなわち最大のライバルだったリコーおよびリコー機を擁する大塚商会への闘争心そのものだったように思う。キヤノンも製品的にはリコー以上に強敵だったが、どこかしらセールスの影が薄く、戦っている実感は乏しかった。一方でリコーとはほとんど肉弾戦といった状態で、相手の顔を見ながら戦っている気がしていた。当時はリコーも富士ゼロックスも社員が若かった。一九八〇年代初頭、富士ゼロックスの平均年齢は確か三〇代前半だったように記憶している。血気盛んな二〇代、三〇代の若者たちが目の前の敵を倒そうと、ただただ勝負に勝ちたいがために、文字通り馬車馬のごとく働いていたのである。そうはいってもやはり馬に人参は必要だったのも事実だ。

ターゲットクリア・コンテストと称する半期ごとの報奨金ルールがあって、なかでも優秀なセールスは半期の期初に大ホールを借り切って開催される「キックオフ」もしくは「スタートコンベンション」で表彰され、多くのセールスの目標は「壇上（ダンジョウ）」だった。同じく半期ごとに営業成績を競って事業部単位で開催される国内旅行コンテスト、さらに優秀なセールスだけが選ばれる海外旅行コンテスト、あるいはターゲットをクリアした半期が積み上がっていくことによって、入社時にもらった社員バッジがプラチナ製にグレードアップするプラチナクラブ、さらにはバッジにダイヤモンドが埋め込まれるダイヤモンドクラブのメンバーシップという制度もあったが、全ては若者の競争心を煽るための仕掛けであった。もともと体育会系の闘争心が強いセールスたちのことで、競争のために目の前にぶら下げられたニンジンに食いつこうとするときの力には怖ろしいものがあった。富士フイルムサイドから見えていた富士ゼロックスの力強い営業力の正体は、ターゲットをクリアしようとする競走馬たちのモチベーションそのものだったのだ。

　だからこそ頭より身体を使う営業人材が求められたわけで、当時の人事部が大学での成績優秀者よりも大学体育会出身者を新卒採用したがった最大の理由である。三八年間営業の世界にどっぷり浸かって多くの上司、先輩、部下、後輩を見てきたけれども、頭が良くて売れるセールスになった人材は極めて少数派だ。いや、もっと正確にいうなら、ほんとうに頭の良い人材など、わたしの知る限り、富士ゼロックスには存在しなかった。けれども武闘派はたくさんいて、売れるセールスの大半は体育会系の気質を持った猪突猛進型の人材だった。

リコーという宿敵

現実的に当時のリコーと富士ゼロックスのどちらの販売力が優っていたのだろうか。板橋区の町工場を回っている実感としては圧倒的にリコーが強かった。もちろんリコーが相手しているのがわたしだったせいもある。しかし何といってもリコーの販売包囲網は市場全体をカバーして磐石だった。夫婦と息子だけでやっているさんちゃん企業（父ちゃん、母ちゃん、兄ちゃんだけで経営している零細企業）にさえ販売の手が届いていた。それはリコーが取ってきた販売戦略が富士ゼロックスのそれと真逆だったからだ。

富士ゼロックスは米ゼロックス製の高速機を、規模の大きな企業にレンタルすることを販売戦略のトッププライオリティとした。企業の数は規模が大きくなればなるほど少なくなり、小さくなればなるほど多くなる。つまりコピー機の販売対象となる市場ピラミッドの上部から攻め下ったのが富士ゼロックスで、下部から攻め上がったのがリコーだった。

リコーは富士ゼロックスがコピー機を販売するずっと以前の一九五〇年代半ばから、ジアゾ式複写機（いわゆる青焼きコピー機）の製造販売をし、その後電子リコピーと呼ばれ、ゼロックスのＰＰＣ（プレーン・ペーパー・コピア。普通紙複写機）とは別方式のコピー機を市場に送り出し、一九七五年には湿式普通紙複写機ＤＴ１２００というベストセラー機を生み出している。

チェスター・カールソンの発明以来一貫して粉末のトナーを使用するゼログラフィー技術による乾式普通紙複写機を開発製造してきたゼロックスとはちがい、リコー機は液体トナーを使用する湿式普通紙複写機で、同じ技術を高速機に転用することが難しかったのか、あるいは日常的なメンテナンスを考えると液式に将来はないと判断したのか、湿式を捨て乾式の道を辿り始めたが、やや遅きに失した感が強かった。

リコーの乾式複写機のベストセラーＦＴ４０６０が発売されたのは一九八二年のことだったが、すでに富士ゼロックスは一秒に二枚、一分間で一二〇枚複写できる超高速機９２００ｂ（社内ではキューニーと呼ばれていた）を始めとして４８００（ヨンパチ）、３５００（リトルライオン）といった高速機で大手企業のニーズを独占してしまっていたのだ。

したがってリコーはゼロックス機が行きわたっていない中規模以下の企業に対して販売の力を入れて、市場ピラミッドの下部を押さえる戦略を取った。もともとリコーはジアゾ式複写機を販売していた頃から、地場の文具店や事務用品店を販売代理店としてきたために、小規模な企業とのパイプができていたという強みもあって、リコーのコピー機は瞬く間に日本の中小市場を席巻し、台数ベースでは富士ゼロックスなど相手にならず、常にシェアＮＯ１を維持しつづけた。

台数はリコー、コピーボリュームは富士ゼロックスという時代は長い間つづいた。ちなみに社内でコピーボリュームのことはＣＶと呼び、自分たち富士ゼロックスのことをＦＸ（エフエックス）と呼んでいた。また仲間内の会話や会議の場での社内隠語ではリコーをＲ（アール）と呼び、キヤノンをC（シー）と呼んだ。リコーは富士ゼロックスをX（エックス）と呼んでいたらしい。ついでにいえば、富士フイルムのことはFF（エフエフ）と呼び、気に入らないことがあったりすると「緑の会社」といった。

こうして企業規模が大きくコピー枚数が多い市場層を富士ゼロックス、規模が小さく枚数が少ない市場層をリコーとキヤノンが抑えるという市場構造が確定し、当然その中間である中規模企業層で激戦が繰り広げられることになったわけである。そしてその中間層で戦う使命を担っていたのが、日本全国に展開していたわたしたち各営業所のセールスだった。

ちなみに大手民間企業及び中央省庁は東京に拠点を置く中央販売本部（チューハンと呼ばれ、わたしたち地域営業所の若手セールス憧れの職場だった）のベテランセールスが担当していた。

そんな市場状況の中でリコーとキヤノンが複写機ビジネスで一番うま味のあるピラミッド上部をあきらめてしまうはずもなく、逆に富士ゼロックスとしても既存顧客からのコピーボリュームに頼っていては先もなく、各社それまで手薄だった市場への攻略を真剣に考え始めたのが一九八〇年代だったのだ。富士ゼロックスが設立以来こだわりつづけていた直販のみの販売戦略を転換したのは、一九八一年のことだ。それまでほとんど手をつけていなかった従業員規模三〇人以下の小企業市場における市場開拓のために、日本全国の地場企業と提携して販売会社を設立したのである。例えば東京では講談社と出資し合って東京ゼロックスを、千葉ではキッコーマン、大阪ではサントリー、北海道では伊藤組と北海道ゼロックスを、という具合だった。この販売会社設立に伴って、富士ゼロックスのセールスはテリトリー（自分の担当する商圏をそう呼んでいた）を面ではなく、リスト化された点、つまりリストアップされた三〇人以上の企業のみを担当することになった。従来から全国に展開していた直販部隊と、このとき設立された販売会社による二階建ての販売体制は、その後、県別の特約店を加えつつ、およそ四〇年の長きにわたって変わることがなかった。しかしながら二〇二一年四月一日、ついに大変革の波がやってくる（五六ページ「先祖がえり」の項を参照）。

また富士ゼロックスにはオフィス用のコピー機だけでなく図面専用の大型コピーを専門に販売するＥＳ（エンジニアリング・システム）部門、また汎用コンピューターから吐き出される大量のプリントを処理するＣＰＳ（コンピューター・プリンティング・システム）部門、ファックスとワープロを専門に販売するＯＰ（オフィス・プロダクト）部門があった。

中でもＥＳ部門とＰＳ部門はどちらも取り扱う機械一台あたりの価格が一千万円を超え、オフィスコピー機同様、消耗品とサービス料金がついてくるという社内屈指の稼ぎ頭だった。同期の中にはそういった部門へ配属された仲間もいて、彼らの話を聞くと、訪問すればするほど売れるからリスト全部を廻りきれないという。訪問すればするほど断られていたコピー機販売部隊のわたしにとっては夢のような話で心の底から羨ましかった。

一本足打法からの脱却

コピー機が箱売りの後にも収益が上がる、金の卵を生む鶏であることを察知した日本の電機メーカーは、一九八〇年代前半に相次いで複写機市場に参入してきた。シャープ、東芝、パナソニックといった家電系のメーカーにとって、売って終わりの白物家電やテレビに比べて、売った後の方がかえって収益が上がる複写機ビジネスが、どれだけおいしく見えていたかは想像に難くない。家電メーカーの他にも早くからこの市場に入り込んでいた三田工業、小西六、そして新参のミノルタなどを含めて、恐ろしい数のメーカーが市場にひしめき始めた。

しかしながら現場で販売していたわたしたちの実感としては、正直なところ新参メーカーは恐るに足らずという印象が強かった。家電メーカーは量販店や電器店に販売するチャネルは充実していても、一台一台を足で稼ぎながら売るという経験をしたことがなかったのだ。販売方法やサービス方法は先行メーカーを参考に似たような体制を組んだが、いかんせん競争相手は新卒セールス教育に半年かける富士ゼロックス、地場市場の隅から隅までを知り尽くしているリコー、製品の性能では常に一歩先に進んでいたキヤノンだったのだ。カタログを見る限りでは、製品そのものが劣っていた印象はなかったが、少なくとも毎日巡回している自分のテリトリーが脅かされているという印象は一切なかった。

そうはいっても競争が激化してくるにつれ、必然的に価格競争が熾烈になってきた。八〇年代も後半に入ると、家電軍団も多くの知見から手強さを増してきた。この頃しばしば新聞を賑わしていたのが地方自治体への〇円入札だ。家電メーカーの営業力は上がってきたとはいえ、まだまだ富士ゼロックス、リコー、キヤノンの三強に比べると現場で戦えるレベルではなく、戦線を官公庁、自治体などに絞り始めたのだ。一回の入札で一〇〇台以上を受注することができ官公庁の入札は一気に台数を稼ぐための絶好の機会だった。そこで出てきた奇策が〇円入札である。機械をタダにするから、アフターサービス料金だけください、という戦略だ。彼らの収益計算からすればタダでも十分元は取れるらしかった。さすがに富士ゼロックスもこれには音を上げた。大型の商談で負けの報告が目立ち始め、このままではマズいという危機感が漂い始めたが、しかしそれでも富士ゼロックスはトータルサービス料金だけは、頑として値引きをしなかった。

一九七〇年代にすでに米ゼロックスはイーサネットの特許を公開し、ローカルエリア・ネットワークというコンセプトが誕生していた。そして八〇年代初頭に市場に投入されたのが、今のパソコンやＭＡＣのベースとなったパロアルト研究所が開発したＡＬＴＯの市販バージョンである８０００ スター ＩＮＳである。富士ゼロックスは目減りしつつあるアフターサービスの収益を補填し、かつ将来の成長の足がかりをこのシステムに求めた。複写機ビジネスのみに寄りかかった従来のビジネスモデルは当時、社内では一本足打法と呼ばれていて、第二の柱を加えて両足でしっかりと打つようにしないと先がないとされていたのだ。米国ゼロックスのＳＴＡＲを日本語化したのがＪスターである。今では当たり前のアイコンに代表されるＧＵＩやマウスが一般オフィス市場に登場し、オフィス内、オフィス間で情報を共有するネットワーク時代の幕が上がったのだ。

　現実的にＪスターの本格的な販売、サービス体制ができあがったのは八〇年代中盤で、それ以降のおよそ一〇年間、富士ゼロックスはＪスターシステムの販売に躍起となったが、結果的にいえば徒労に終わった。コンセプト上では時代の先端を行く画期的なシステムだったが、現実的な使用事例はといえば、ファイル共有のできる高級ワープロの域を出ず、それはそれで素晴らしい機能ではあったが何しろ高かった。コピー機のレンタルを開始したときのように、富士ゼロックスはまずは大手企業相手に営業を本格化したが、大企業であってもそうそう簡単に予算確保ができるシロモノではなかったのだ。確かに売れるには売れたし、機能を評価したリピートカストマーも少なくなかったが、それでも一般オフィスに普及させるためには高額すぎた。

　その後中小企業用に独自開発した国産の小型機６０６０を投入したが、お世辞にも使い勝手が良いとはいえず、すでに日本で販売を開始していたアップルのＭＡＣに比べるといかにも中途半端感満載の機器だった。さらに中途半端なことには、この時期富士ゼロックスはアップル製品の販売も併せて行っていた。そして時代はＷＩＮＤＯＷＳへと移り変わっていくのである。

　コピー機にアフタービジネスが付いてくるように、ネットワークビジネスはネットワークが枝分かれして行った先に端末が付いてくる、という富士ゼロックスの夢はこうして潰えたのである。

在日米軍という市場

入社して五年目の秋、同期のＯサキマサノブから在日米軍との契約がキヤノンの攻勢を受けているためメンバーを一名増員することになった、ついてはオマエにやる気があるなら課長に直談判するぞ、と誘われた。たまたまＯサキは新人研修のときの同じ五組のメンバーで、かつ京王線の柴崎にあった社宅仲間だったのでなにかと情報交換する機会が多かった。当時在日米軍は中央販売部から名称が変わった中央営業事業部（チュウエイジ）の官公庁営業部が担当していた。上司に呼ばれて内示があった日、わたしは天を見上げ、二度と仕事をサボりませんと誓った。

当初はキャンプ座間と厚木基地を担当し、三年して慣れたところで横須賀基地と佐世保基地を担当した。第七艦隊の事実上の母港である横須賀基地の仕事はハードだった。基地に常駐しているオフィスはともかくとして、第七艦隊の司令部であるＵＳＳブルーリッジが、艦隊の主力空母ＵＳＳミッドウエイなどの艦船群を引き連れて戻ってくると、やらなくてはならない仕事が湧いて出てきた。長い間の航海中、船に設置しているコピー機が壊れても、富士ゼロックスのエンジニアが修理に行けるはずはない。したがって通信機など電子機器の修理担当水兵たちに、コピー機の修理トレーニングを実施しなければならなかった。寄港する度に水兵たちを当時新宿の日本駐車場ビルにあった教育施設に連れて行ったり、使用料の請求のために設置されている機械のカウンターを一台一台確認しに行かなくてはならなかったし、古くなったコピー機を入れ替えなくてはならなかった。空母ミッドウエイには七〇台を超えるコピー機が設置されていたが、艦内は完全な迷路で、しかも寄港したときしかチャンスがないので設置場所を覚えるだけで二年近くかかった。それでもわたしは仕事が愉しくてならなかった。横須賀のドタバタを経験したセールスは、次に沖縄に駐在してアシスタントをマネジメントしながら、沖縄の米軍基地を統括するのが習わしで、わたしもそのルートに乗った。新規に採用されたTハラユキを新アシスタントに迎えて、わたしの五年にわたる沖縄米軍営業時代が始まった。同じ頃、日本経済のバブルが弾けたが、米軍市場にはまったく何の影響もなく、わたしには今ひとつ実感が湧かなかった。

それにしても職場に上司がいないって、なんてステキなんだろう。

沖縄という土地のユルさもあって、わたしがうちなーんちゅ化するのに一週間もかからなかった。わたしが沖縄に駐在した翌年に、沖縄営業所で金銭にまつわる不祥事があった。当然解雇だと思っていたら自主退職となった。肩を落とした当事者に、福岡からやってきた西日本事業部長が怒ったようでもなく、どちらかというと労るように接していたがほんとうに優しい時代だったと思う。富士ゼロックスは一九九二年に「よい会社構想」を発表し、目指すべきは「強い」「やさしい」「おもしろい」会社としていた。この頃はまだ二月二〇日の創立記念日となると毎年、直径二〇センチくらいの文明堂のドラヤキが配られていた。いつから配布されなくなったのか記憶にない。

分速一一枚の高速機

わたしが沖縄でゆんたく（のんびり）してるそんな時期、コピー業界は大きなターニングポイントに差し掛かっていた。デジタル化の波が押し寄せていたのだ。

ここで波に乗り遅れると将来はないと富士ゼロックス経営陣は覚悟を決めた。覚悟を決めるのは勝手だが、前線に突入するのは営業部隊だし、武器を開発製造するのは開発部隊なのだ。この当時、海老名にあった開発部門は、デジタル複合機の開発の前倒しを指示され、その疲弊ぶりは相当なものだったと聞いている。一九七二年から始めて、三〇年間に培った多くの技術を捨てて、ちがう仕掛けで、しかし似たようなモノを作れといわれても、かえって困難は増すばかりだった。富士ゼロックスの市販デジタル複合機第一号モデルはＡＢＬＥ３０１０だった。製品をアピールするために富士ゼロックスはドラえもんのキャラクターを使用した。どこでもドアで未来と繋がっているというイメージと、ドラえもんだからコピーとファックスのどちらもできちゃう、という機能を掛け合わせたイメージ戦略だった。

しかしながら売ってる側としては、どこでもドアって、もしかして未来じゃなくて、過去に繋がってるんじゃないの、というほど、デジタル初号機のＡＢＬＥ（エイブル）３０１０はなにもかもが時代遅れ的に遅かった。コピー速度が一分間に一一枚の機械を、同じ低速機カテゴリーの二五枚機を使ってきたお客さんにどう説明すれば買い換える価値があると思わせることができるというのだ。しかもファーストコピースピードはさらに遅く、待っている間に使用者が寝てしまったという都市伝説さえ生まれた。そういったセールスからの不平に販売本部は、コピー機ではなくファックス機として売るように、という指示を出した。じっさいＡＢＬＥ３０１０はコピー機ではなく、ファックス機の開発チームが担当したのだ。しかしファックスとして売るにはあまりにデカ過ぎたし、高価すぎた。しかし開発している側は営業よりさらに大変だったと思う。この時期、営業サイドはデジタル化の声に背中を押されながらもアナログに逃げるという手も残されていた。しかしリコーのＩＭＡＧＩＯ、キヤノンのカラーデジタル機ＣＬＣ１に先行されていた開発陣に後戻りは許されず、日々、断崖絶壁を背にしながら新製品開発を急いでいたはずだ。

　営業サイドとしては、なぜデジタル機を売らなければならないのか、いままでどおりのアナログ機で一体全体、何の問題があるのか、という思いが強かった。現実的に当時の市場を見回してみても、コピーとファックスが一体化することの意味は見いだせなかったのだ。ファックスしながら同時にコピーが取れることがスゴいというが、今までだってコピー機とファックス機を別々に使っていたから同じでしょ、と。

　このようにこの時期、デジタル化を最速で進めようとする経営側と販売現場の間には大きな亀裂が広がっていた。それもそのはずで沖縄から上京した事業部のキックオフで、新しい期のプランを発表したＳモト販売本部長（ハンホンチョウ）が「日曜日、風呂に入っているときに、ふと目標値が足りないという気がしてきたんだ。だから急遽二倍に変更した」と言い放ったのである。その思い付きが本当か嘘かはわからない。そういう軽い言い方でホールに集まったセールスたちの笑いを誘おうと思ったのかもしれない。だとすればハンホンチョウは現場の辛苦をまるで理解していなかった。目標を高くすれば、それだけたくさん売れるってか！　その根拠のない発想はまるで戦争中の大本営と同じではないか。デジタル機を売らなければ、ターゲットの達成も不可能となる現場の思いとして、多くのセールスが「殺意を覚えた」と証言している。沖縄の空気感をそのまま纏って上京してきたわたしには激しく刺激的なキックオフだった。わたしがデジタル機を売ろうとおもったのは、決して富士ゼロックスの将来を考えてのことではなく、その頃の部長が好きだったからだ。長嶋茂夫の後輩、長嶋一茂の先輩で、たまたまわたしと同じ大学の野球部出身のＦジタノリオ部長のためなら売ってやろうじゃないの、とただ単純にそう思った。この人はへそ曲がりのわたしの、へそがどっちに曲がっているかを理解してくれた数少ない上司のひとりで、やっぱり魅力のある上司は部下の気持ちを動かすことができると思う。

　その期の開始早々、わたしにＡＢＬＥ３０１０を普天間基地の海兵隊部隊に販売するチャンスが訪れた。普天間基地は不思議なところで、海軍と海兵隊の両方の予算を持っている組織が存在している。その海兵隊部隊の補給部門長には米国本土の士官学校を卒業したＴマス少尉が任命されたばかりで、使用中の京セラミタの調子が悪いから新しいコピー機に変えたいという。ゼロックスは壊れないよね？　と訊いてくるから「壊れないわけじゃないけど、壊れにくいし、何といってもウチには米軍のお客さんからキャデラックと呼ばれているスーパーエンジニアがいるから、壊れてもすぐに直る」と答えた（Ｉシタタケシが本名なのだが、なぜキャデラックと呼ばれるようになったかは本人も知らない）。Ｔマス少尉は「良いものを買って部隊の連中を喜ばせてあげたいんだ。何かお薦めはあるかい？」と訊いてきた。わたしはデジタル機は競合すると弱いと迷いながらも、Ｆジタ部長の顔がちらつき「最新式のデジタル機ではどうだろうか？　ファックス機能もあるし、アナログ機だとオプションの自動原稿送り装置とソーターも初めから付いている」と答えた。ＡＢＬＥ３０１０のパンフレットを見せたわたしに、少尉はゼロックスならなんでもいいよ、しかもデジタルなんだろう。二六台なんだけど、いつ持ってこれるかな？　といった。Ｔマス少尉は、おそらく中西部出身の若者で、とてつもなく寛容な人物だった。わたしは内心、二六台！　これだけで今期のデジタル機のミニマムを軽くクリアできる、と思った。じゃあ、明日にでも見積もりを持ってきましょう。そういってオフィスを出ようとしたわたしの背中に「スピードは速いよね？」と声が掛けられたのだった。わたしは足を止め、振り向きざまに「高速ではないが、普通に速い」と答えた。機械需給上の問題で納品のタイミングが遅れた。わたしはニューヨークで出産した妹の手伝いで渡米していた母を迎えに行かなくてはならず、早めの夏休みを予定していた。折角アメリカに行くのだから、イエローストーンに寄ってからニューヨークに向かうという計画だった。イエローストーン国立公園は今も昔もフライフィッシングの聖地であり、一生に一度で良いから釣ってみたいと思ったのだ。わたしはＴハラに「設置はよろしく。特に問題はないと思うけど」といい残して機上の人となった。

帰国すると、いつも明るいＴハラの横顔に見慣れない影が差していた。留守番の間ひとりで大変だったのだろうと思った。イエローストーンで愉しすぎる日々を過ごしたわたしは、完全に仕事のことを忘れていたのだ。普天間基地を担当していたエンジニアのＫタニマスオがわたしのデスクにやってきて、「バンちゃん、エイブルを高速機っていったのか？」といい、目の前のＴハラはわたしを睨んだ。ふたりの表情がすべてを物語っていた。「ごめんごめん、こうでもしなくちゃデジタル機売れないんだよ」と言い訳しながらも、同僚に尻拭いさせるのは最低だったと後悔した。翌日Ｔ少尉に謝罪に行った。ヘタな言い訳は火に油を注ぐだけであることは経験上わかっていたから、素直に謝るしかないと覚悟を決めた。けれども驚いたことに彼は怒ってはいなかった。ただ小声でそっとわたしにこういったのだ。

「仲間に迷惑をかけちゃダメだよ」

米海兵隊員は戦地で仲間がひとりでも取り残されたら、チーム全員で救出に向かうことで知られている。信頼があるからこそ、最後の最後まで戦えるのだ。わたしは心の底から自分を恥じた。

これはわたしの営業人生における数え切れないまちがいや失敗や後悔の中でも、ひときわ大きな汚点のひとつだ。ただこの事件で三〇歳になったばかりのセールスは少しだけ成長したと思う。それ以降定年するまでお客さんに嘘をついたことは一度もない。いわないことはあったとしても。

社長交代

一九九二年、小林陽太郎が社長を退き会長となり、宮原明が社長に就任した。小林が代表取締役社長となったのは一九七八年のことだったから、一四年間社長職にあったことになる。わたしたち社員の大半にとって小林陽太郎は文字通り頭上で輝く太陽のような存在で、太陽がなくなることが想像できないように、あるいは昭和という時代が終わることが想像できなかったように、小林陽太郎が社長ではなくなるなんてことは想像したこともなかった。したがって宮原の就任が社員に歓迎されたとはいい難かった。それは宮原が社長にふさわしい人材かどうかといった問題ではなく、小林の存在が大き過ぎたのだ。

小林は若い頃、役者への声が掛かったほどの男前で、着こなしのセンスも良く、英語は堪能で、国際的なセンスも抜群、メディアへの対応も慣れていた。一方の宮原は地味で、派手なところがまったくない、真面目を絵に描いたような、極めて日本っぽい雰囲気のビジネスマンだったのだ。宮原は関西学院のグリークラブ出身者だった。北村協一という名合唱指揮者を輩出した関学グリーはいつの時代でも日本一の、伝統のあるグリークラブで、わたしはその一点で宮原に親近感を覚えていた。わたしもグリークラブ出身なのである。宮原が副社長だった時代、米国大使館へ同行訪問をしたことがあって、念願のグリークラブの話をする機会に恵まれたが、まるでグリーの話には乗ってこず、困ったことには、話題は米国大使館に対してなぜＪスターを売ることができないのかという方向に向かってしまった。これもまた宮原が真面目だったからこその話ではある。

宮原が社長だった六年間というのはそっくりそのままアナログからデジタルへの過渡期に当たっていて、競合に先んじるはずが、高速デジタル機の開発が遅れに遅れたため、宮原から開発部門へのプレッシャーは猛烈だったと聞いている。営業のわたしたちへは開発が遅れてしまい、ほんとうに申し訳ないと謝りつづけ、なんだか悪いタイミングで陽太郎さんからバトンタッチされちゃったなあ、と気の毒に思えるほどだった。

一九九〇年代というのは、マイクロソフトの足音がハッキリと聞こえ始めた時期でもあって、だからこそアナログからデジタルへの転換速度が重要になってきた。それまでのアナログ機に変わって登場してくるデジタル機は、ファックス機能だけではなく、プリンター機能が付加されるようになってきた。アナログで何が悪いんだ、とグチっていたわたしたちセールスもパソコンの急速な普及で、どうやら時代はデジタルらしいと実感し始めた。

パソコンから出力されるプリントの比率が上がってくるにつれ、カラープリントの必要性が意識され始めた。デジタルとカラーの親和性は、さほど世の中で意識されることはなかったが、アナログからデジタルの転換期というのは、じつは同時に白黒からカラーへの転換期でもあったのだ。それまで高価過ぎるとされたカラーコピー機が一般企業や官公庁の特定分野に導入され始めたのは一九九〇年代中盤のことで、富士ゼロックスはその頃、ようやくキヤノンと張り合える技術力がついてきたのだった。

一九八〇年代のカラーコピー開発競争ではリコーと富士ゼロックスが遅れを取り、キヤノンが独走体制に入った時期があったが、じつはキヤノンと富士ゼロックスのカラーコピー機開発競争の裏には、人材の引き抜きが絡んでいた。当時、海老名にあった開発拠点でカラーコピーの開発に当たっていた技術者たちが反乱を起こしチームごとキヤノンに移籍するという事件が起こったのだ。この一件で富士ゼロックスのカラー機開発の速度が一気に鈍った。

この事件は販売サイドのわたしたちの耳に入らないよう、完全に闇から闇へ葬られたため、わたしは真相を知らない。なにしろ二〇〇〇年代後半まで、販売部門と開発部門にはまるで別会社のような隔たりがあったのだ。風の噂では、ありがちな上司と部下のトラブルがチーム全体に広がったということだが、火のないところに煙は立たないというし、まあそんなところだったのではないだろうか。

富士ゼロックスがカラー機分野で息を吹き返したのはデジタルに技術が移行してから後のことでＡ（エー）カラー６３５がその嚆矢となった。ただし一般的なオフィスにカラー機が普及し始めるにはまだまだ時期尚早であった。

青から赤へ

富士ゼロックスという会社は社名にゼロックスという名前があったせいで、傍目には外資系企業という印象が強かったが、しかし内部は極めつけのドメスティック企業だった。国際的なセンスを有している人材はごくごく限られていたし、じっさい長い間、国際的な知見が必要とされるシーンも少なかった。大半の日本の事務機器メーカーは、日本で開発製造した製品を日本国内で販売すると同時に、海外へ流通させるための販路を求める。新規販売代理店を開拓したり、あるいは製品をその国に合った仕様に改良したりと、海外における拠点が必要となってくるため、それなりの人材が求められる。

一方富士ゼロックスはあくまでもゼロックスの世界戦略の一部として、アジア地区での販売権だけを与えられていたのだ。中国もまだまだ発展途上で海外企業の進出が制限されていたこの時期、富士ゼロックスはタイ、インドネシアといった東南アジア諸国に現地法人を設立して活動することだけが唯一許された海外展開で、ドル箱の欧米市場はアンタッチャブルでありつづけた。

長い間、小林陽太郎という日本を代表する国際的ビジネスマンが富士ゼロックスの顔だった。しかしながら国際的人材という見地で社内に目を向けるとどうだったかといえば、米ゼロックスと技術的なやり取りをする開発部門のごく一部を除き、ことに販売部門ではぺんぺん草も生えない荒地、というよりはむしろ月面に近い状態だった。さすがにこれでは先行き困ったことになるかもしれないと思った役員がひとりいて、ＧＡＭＥというプログラムが生まれた。

　ＧＡＭＥとはグローバル・アカウント・マネージャー・エクスチェンジの略で（ほんとうに富士ゼロックスは英語とその略語が好きだった）、日米の販売部門間における人材の交流プログラムだ。デジタル時代が進んだ九〇年代半ばには将来を見据え、かつ埋もれた人材を発掘するために公募化された。ＧＡＭＥの第一回公募はシカゴでの営業サポートの交代要員の募集だった。この時代はＧＡＭＥに限らず、富士ゼロックスが社内公募に力を入れ始めた時期でもあり、地域間、部門間の人材環流を促進するために毎年一回、相当数のポジションが公募されるようになった。なによりも上司経由ではなく、人事部直という建前が社員には歓迎された。もちろん自分の将来の夢に向かってチャレンジする社員もいただろう。しかしいつの時代の、どの会社にも、上司との関係に苦しんでいる社員や、一〇年経っても同じポジションで同じ仕事をつづけている社員は山ほどいて、そんな人たちにとって社内公募システムは、天空から降りてきた蜘蛛の糸に見えた。

　在日米軍三沢基地の白人士官と黒人部下の間に起きた争いごとに巻き込まれ、ある年に富士ゼロックスは米軍からの撤退を余儀なくされた。沖縄に着任したわたしは北国で起きたその事件に負けずに踏ん張っていたつもりだったが、着任五年目の秋、東京のＩハラタカシと沖縄のＴハラ、そして三沢分室のＳサキマリの三名だけを残して米軍からの撤退が決まり、わたしは東京への帰還命令を受けた。ほぼ一〇〇％シェアだった市場が一〇％以下になっていたのだ。セールス一人をこれ以上沖縄で遊ばせておくわけにはいかないと上司はいった。

わたしに限らず、上司や同僚が沖縄に出張してくると、観光やゴルフや居酒屋でもてなすのが地元従業員の役割でさえあった時代のことで、その記憶をもってして、セールスが毎日遊んでいると考えるから困ったものだ。もともと沖縄は気候や観光地という特性から、内地からの目には「遊ぶところ」という印象が強い。沖縄で働いているというと、大概「いいなー！」という反応が返ってきたが、かりゆしウェアが導入される前のあの時代、あの暑さと湿気の中でスーツとネクタイ姿で外回りの仕事をすることがどれだけ大変だったか。

半期ごとにキックオフで東京に戻る度に、同僚はニコニコ顔で「どうよ、沖縄は、愉しい？」と訊いてくる。一般的にセールス仲間で仕事が語られるときは「売れているか、売れていないか」、もしくは「楽か、楽ではないか」がメインテーマであるところが、沖縄に限っては「愉しいか、愉しくないか」となってしまうのには辟易した。じゃあＫ庁を担当しているＮガタアキヒコは、ＫガワミユキはＲ大を担当しているＵンテンシュンジは、そして営業所長のＭヤモトシンゴは、毎日遊んでいるというのか？　毎日、首里城行って愉しいと思うのか？　毎日ビーチパーティをやっていると思うのか？　たしかにこの四人が毎晩、ほとんど欠かさず営業所がある琉球リース総合ビルの裏手「居酒屋たこふじ」に飲みに行っていたことは事実だ。そしてわたしとＴハラ、営業事務のＭハラリエと後任のＭギマリコ、売り上げ管理課のＫウナユウコと後任のＮムラカオリ、テレフォンセンターのＭモトナナ、Ｔホミエ、サービスエンジニアのＴマツグモリ、さらには機械配送のKジョウコウキチ、Mモトスギ、後に米軍チームに加わったYガチカコらが入れ替わり立ち替わり、その仲間に加わった。控えめにいって、確かに愉しかったかもしれない。

例年六月二三日の慰霊の日前後に梅雨が明けて以降、一〇月までつづく沖縄の長い夏は高温多湿で、エアコンで極端に温度を下げている米軍のオフィスから車に戻ってくると、車内は軽く五〇度を超えていて、一気に吹き出た汗が引く間もなく、また客先の冷蔵庫さながらの冷房で身体を冷やし、ふたたび五〇度の世界に戻ってくる。この気温差三〇度以上のサウナ修行を連日繰り返すことによって、心身が鋼のように強くなっていく、はずもなく、赴任一年目の夏、ある日曜日の朝起きてトイレに行くと血尿が出た。血が混ざっているというレベルではなく、メルローでもなく、カベルネ・ソーヴィニヨンだった。慌てて救急病院に行って、採尿したところ当番の若い医者が「うわー、これは……」と絶句した。よほどのことだと観念したが、検査の結果「血ですね」といわれた。そんなのわかってるよ、だからどうして血のおしっこが出るの？　と訊いたけれども、原因はわからなかった。それからも連日のサウナ修行はつづいたが、二度と血尿が出ることはなかった。どうやら身体がサウナ修行に慣れたらしかった。環境がハードであればあるほど、仕事上がりに飲む一杯目のビールは美味かった。Nガタは、毎晩ジョッキで乾杯して一口飲むと「生きてるって感じするよな」というのが口癖だったが、じっさいその頃のわたしたちは一杯目のオリオンビールを飲むために仕事をしているようなものだった。

その頃、上司の指示すべてに逆らっていたわたしだったが、部門が決めた帰還指示に逆らうことはできず「アイ・シャル・リターン」を約束して、残ったお客さんをＴハラとＹガチカコに一任して東京へ戻った。帰任の飛行機から見下ろす沖縄本島はなぜか滲んでいた。

　その秋、わたしは官公庁営業部でカラー機専任セールスに任命された。Ｙムラナオキという、今は公共市場の販売責任者となっている後輩とふたりで、まだまだ市場が限られていたカラー機を中央省庁へセールスしたが、沖縄で温まった身体に霞ヶ関の風は冷たかった。わたしはＧＡＭＥの公募を聞いて応募する気になった。フライフィッシングの本場に身を置いて、心ゆくまで釣りをしたかったのだ。集団面接からしばらくして合格の通知があった。短い期間ながらも仲良く二人三脚でやってきたＹムラは「ぼくを置いてアメリカに行っちゃうんですか？」と別れを惜しんでくれたが、今も昔もわたしにとってフライフィッシングはほとんど宗教であり、教義を極めるためにはやらなくてはならないことがあったのだ。

　シカゴでは「上司のいない職場って、やっぱイイよなあ」と再び思った。シカゴで暮らした三年半の間に働いた記憶はあまりない。その代わりフライフィッシングはこれ以上ないほど真剣にやったが、わたしが釣りをしている間に富士ゼロックスは大きなイメージチェンジを敢行した。創業以来青かったＦＵＪＩ　ＸＥＲＯＸのロゴが赤く代わり、Ｔｈｅ　Ｄｏｃｕｍｅｎｔ　Ｃｏｍｐａｎｙという小さな文字が追加されたのだ。「なんだい、みんな赤じゃん」とリコー、キヤノンと同じカラーになってしまうことに拒絶反応を示した社員もいたが、米ゼロックスが決定したことに富士ゼロックスが異議を唱えることは許されなかったのだ。

本業回帰

Ｊスターシステムでコピー機頼りの一本足打法からの脱却を目指した富士ゼロックスだったが、予想をはるかに超えるＩＴ業界の速度についていけず、本格的なデジタル時代を迎えて本業回帰宣言をした。二〇世紀から二一世紀への移行は複写機メーカーにとって、そのままデジタル複合機メーカーへの転換の時期だった。従来のアナログ機が次々とデジタル機に置き換えられていく中で、その次の一手は複合機のカラー化であった。Ａ（エー）カラー６３５の速度を上げた９３５までは、あくまでもデザイン業務や研究機関中心とした特定部門を想定した機械だったが、一般オフィスで使われるプリントやコピーをカラー化して、販売先を一般市場に拡大することで収益を拡大しようと考えたのだ。しかしながら一般顧客に対してカラーコピー機を買ってください、といってしまうと、それまでの常識的な発想から「オフィスにカラーは必要はない」と判断されてしまうことが予想された。そこで富士ゼロックスはまず初めに、そもそもの呼び名をカラー機ではなく、カラーケイパブル機と改めた。いい方を変えただけのことだ。

「これはカラーコピー機でもカラープリンターでもありません。今までどおりの白黒複合機なんです。ただ、カラーでコピーをしたければ、できないわけでもありません」といった、かなり微妙なニュアンスの営業トークが必要とされた。ただ幸運なことには、この頃の富士ゼロックスの開発陣には勢いがあった。キヤノンに対して喫した出遅れを一気に挽回し、おそらく富士ゼロックスの歴史の中で最も競合力があったドキュカラー１２５０という名機が誕生した。販売側に「この機械で負けたら、それは一〇〇%セールスの力不足だ」と思わせるほどの機械はそうそう登場するものではないが、この機械がそうだった。この機械で勢いが出た開発陣は、開発コードネーム「イマリ」のドキュセンターカラー４００ＣＰ、開発コードネーム「クタニ」の４５０とたてつづけにクリーンヒットを放った。開発コードネームというのは開発サイドと現場のサービスエンジニアが使う符牒のようなもので、製品発表以前からそう呼び、モデル名では呼ばない習慣がある。一方、営業は機番で呼ぶ。開発とエンジニアサイドではベースモデルが同じであれば速度のちがいは関係なく、営業は速度が変わると価格が変わるから機番で呼ぶのだ。

　しかしこの「イマリ」と「クタニ」だけは例外だった。販売側のわたしたちもコードネームで呼んだのだ。というか現実的にはニックネームのように呼んでいた。可愛かったからである。特に「イマリ」の唯一の弱点だったデジタル機特有の反応の遅さと、ファーストコピー速度を改善して登場した「クタニ」は営業に「コイツとなら一緒に死ねる」と思わせるほどの凄みがあった。

　このデジタル移行期は富士ゼロックスが本格的に印刷業界に進出した時期でもある。米ゼロックスはドキュテック１３５という高速コピー機をデジタル複合機化した、ドキュテック６１８０という分速一八〇枚というモンスターマシンを開発した。ここにデジタル・オンデマンド・プリントという新しいコンセプトによる印刷市場が創出されたのである。

タコ足食い

シカゴの凍てつく冬を、何の苦労もなく軽く乗り切ったわたしだったが、正直なところ帰国後の営業戦線復帰は憂鬱だった。長い夏休みが終わってしまう小学生のような気分だった。

戻る職場は決まっていて、外資系企業を担当するインターナショナル・マーケティング部だった。部門長はＩガキオサムという以前から知っている気安い先輩で、外資製薬関係のリーダーをやってくれといわれたが、わたしは頑として受け入れなかった。というのはわたしがシカゴで釣りをしているあいだに、Ｉガキは得意の政治力で米軍を官公庁営業部から自分の部門に引っ張りこんでいたからだ。「イヤです、米軍しかやりません」「オマエ、何のためにシカゴ行ってたんだよ」「米軍復活のための充電です」「もう終わってる市場じゃないか」「そう思っているから復活しないんですよ」「一生米軍やるつもりか」「はい、そのつもりですが何か？」と国際電話で話す度に言い合いになったが、最後は「三年だけわたしにください」ということで決着し、わたしは米軍担当に戻った。

　帰国したわたしが米軍基地で局地戦を始めた頃、富士ゼロックス全体として大きな変化があった。かねてから米ゼロックスと交渉していた中国市場の販売権を得ることができたのだ。それまでにもオーストラリア、ニュージーランド、マレーシア、シンガポールを商圏に組み入れた際に、富士ゼロックスアジアパシフィックを設立していたが、タイの通貨危機などで収益は安定したものではなかった。スタート当初は中国特有のビジネス文化の中に入っていくことが難しく苦戦はしたが、中国経済の爆発的な成長もあって、結果的にチャイナビジネスは二〇〇八年のリーマンショックを乗り切るためになくてはならない成長エンジンとなって富士ゼロックスを救った。

　日本国内でのビジネスについていうと、コピー機を複合機に入れ替えるデジタル化は二〇〇〇年代前半にほぼ終了していた。富士ゼロックスがデジタル化の波にいち早く食らいついた最大の理由は、それまで弱かったオフィスの小型プリンターのヴォリューム、そして枚数は少ないとしてもファックスのヴォリュームも同時に取り込むことができると踏んだからである。

　一九九〇年代後半の本格的デジタル時代以前、オフィスプリンターは、コピー機とはまったくちがうルートで各企業に導入されてきた歴史がある。企業が使用するパソコンに合わせてメーカー、もしくは事務機器店にほぼお任せで設置されてきたのだ。ＮＥＣならＮＥＣのプリンターを、富士通なら富士通のプリンターをというような流れが変わったのは、この頃の急速なパソコンの普及による影響が大きい。パソコンがメーカーに依存するものではなく、ＯＳに依存するようになってからは、プリンターとパソコンのセット販売という常識は消え去ったのだ。しかしながら小型プリンター市場というのは、メーカーの群雄割拠状態ということもあり、収益をあげることが難しかった。ことに富士ゼロックスはプリンターに限らず小型モノに弱いという体質があって、プリンター分野では苦戦をつづけていたため、デジタル複合機というのは渡りに船だったのだ。デジタル複合機のセールスポイントは省スペースへの貢献だった。日本の狭い事務所におけるスペース問題は、そのまま経費問題に直結する。しかしながら競合メーカー機との使用料金の比較には慣れてはいても、省スペースによる経費削減について、巧く語れるセールスは少なかった。顧客にしても散らかっている自宅と同じで、オフィスが混沌としてはいても、混沌しているなりのバランスがあるようで、省スペースのセールストークが効果を発揮する場面が限られていたのも現実だった。それでも上司からは、何が何でもデジタル機を販売しろという強い指示がある。結果的に販売現場としては、プリンターのニーズがあろうとなかろうと既存のコピー機を自社の複合機に代替するという手法に頼らざるを得ず、この時期、機械の出荷は多くても自社機を自社機で代替するだけの、いわばたこ足食いが常態化した。たこ足食いがなぜ悪いかというと、富士ゼロックスは大半のメーカーとちがってレンタル契約が収益に占める割合が大きいからである。競合他社においてはレンタルという契約形態は例外的だった。というのもメーカーが販売会社、代理店、特約店に対して販売するという方式は、所有権の委譲を伴わないレンタル契約とは相性が悪いのだ。一方、富士ゼロックスはもともとレンタル中心の直販でビジネスを開始した経緯もあって、ことに大手企業の大半とはレンタル契約を中心にビジネスを行ってきた。

一般的な販売方式における機械の代替は、そのままイコール機械の販売となる。営業の正義である。しかしながらレンタル機の代替というのは、逆に機械の原価は富士ゼロックス側で負担し、資産として原価償却することになる。仮にレンタル料金を据え置きのまま機械を交換したとすると(コンバージョンと呼び、現場ではコンバと略す)売上は変わらず、逆に利益性が悪化することになるのだ。極端にいえば、同じ機械を壊れるまで使ってもらうのが理想だが、そこは競合が放ってはおかない。だからコンバージョンが必要となるわけである。この時期、アナログ機からデジタル複合機へのコンバージョンは利益性を顧みず、デジタル複合機化の御旗の元に極めて積極的に行われた。当然ながらタコ足食いで利益率は下がった。デジタル熱を帯びたメーカー間の競争は留まるところを知らず、結果的にレンタルサービス、および販売した機械へのトータルサービス料金の単価のダウンが始まってしまったのだ。デジタル化の錦の御旗には「利益率が悪化してもプリンターのヴォリュームが上乗せされるから帳尻は合う」と書かれてあったが、現実はどうだったかといえば、プリンターはまだまだオフィスに残ったまま、現場セールスはコピー機を複合機で代替しただけの話だったのだ。経営陣の目論見の甘さ、もしくはデジタル化への焦りが、販売現場を「わかった、わかった、ともかく複合機にすればいいんですね」という不健全な方向に向けてしまったのだ。こうしてデジタル化は予想外の収益性悪化をもたらした。それまでセールスは販売台数で業績を評価されていたが、評価指標が売上金額に変わったのはこの頃だ。

そして経営陣は考えた。次なる一手はカラーしかない。先に書いたように富士ゼロックスは開発陣のがんばりで、デジタルカラーの分野で先行したキヤノンを抜き、競合メーカーを一歩リードしていた。このタイミングを逃したら次はなかった。二〇〇五年前後の一〇年間、富士ゼロックスは全社、カラーに染まった。営業マネージャーは誰も彼もが「カラー、カラー」と念仏のごとく部下に声をかけた。マネージャーもまた上司から念仏を聞かされていたからで、その上司もまた役員から、さらに念の入った念仏を聞かされていたからだ。富士ゼロックスがカラー機の性能で一歩リードしているうちに、市場を抑えてしまいたかったというのもじっさいのところだったが、何よりも年々顕著になる右肩下がりの単価ダウンを食い止めるには、カラー機単価というカンフル剤しか思い付かなかったのだ。そしてこのカンフル剤は確かに効いた。カラープリントの単価は白黒の五倍前後あったため、単価が下げ止まったのだ。キックオフで単価を示す折れ線グラフが右肩上がりに回復している図を見て、「ウチの会社って凄い」と思ったが、同時に心の底では、このまま行くはずがない、と感じてもいた。競合が追い付いてくれれば、今度はカラー単価の下落が始まるということを会場に集まったセールス全員がわかっていて、ただ今は考えないようにしていたのだ。デジタル化も終わった、カラー化も早晩終了するだろう、では次は何なんだ。経営幹部にしても名案が浮かばずに、複合機を逆さまにして振ってみたいような心境だったと思う。たぶん、トナーしか出てこなかったと思う。

　カラー化の大合唱の中、わたしも米軍へカラーケイパブル機を投入したが、日本語でいうところの「カラープリントもできるけれども基本白黒機である」という曖昧なトークは白黒ハッキリさせる英語という言語上の特性もあってまったく通用しなかった。そして新たに市場に入ってきたリコーが予想以上に手強かった。地域の販売会社ではなくリコー直の営業部隊が投入されたのである。このリコー直の販売部隊は富士ゼロックスから「カブリコ」と呼ばれていることもそのとき知った。株式会社リコーの略らしかったがわたしには初耳だった。基地内の展示会でわたしたちは直接顔を合わせることも多かったし、なにしろ基地という物理的に囲われた場所のことで、訪問先で出くわすことも多かった。当時のリコーはＵシオダがマネージャーで、ジョニーＯ、ジェイ、サニー、のちにマネージャーはＥギに変わり、Ｍトキが加入した。客観的に見て素晴らしいチームだったと思う。家から基地への直行直帰や、沖縄、岩国、三沢、佐世保などへの出張でほとんど会社に顔を出さないわたしにとっては、むしろリコーのメンバーの方が仕事仲間だという気すらしていた。ちなみにリコーは直行直帰が許されていないということで、車で基地からそのまま家へ帰ってしまうわたしは羨ましがられた。リコーは大戦前からつづく歴史ある日本メーカーだから、やはり旧い体質が残っているらしかった。このリコーの精鋭チームに対して、わたしはチームメンバーの増強で対応した。本州には以前より売上管理課で米軍を担当していたＴルオカユカとＳミズフタバ、沖縄にはＩハリカを加えた。わたし以外は女性だったがこれは米軍基地という特殊市場のための戦術だ。今ではこれもセクハラなんだろうか？　このときの京セラは防戦一方だったが後に担当となったＫネコは素晴らしいセールスだった。富士ゼロックスのセールスの方が優れているという身勝手な思い込みが錯覚だとわかったのもこの頃のことだ。特にリコーのメンバーは富士ゼロックスのセールス以上にわたしがイメージする富士ゼロックスらしい気がして好感が持てた（出張先でのロシアンパブ通いは別として）。つまり顧客にも好印象を与えているはずで、これはよほど警戒しないとならないと気を引き締めた。

開発部門の優しさ

米軍市場を長い間担当してきたわたしは米国防総省が要求する数々のセキュリティ要件をクリアするために、販売サイドの人間としては異例に開発側と過ごす時間が長かった。

あるとき開発との会議で富士ゼロックス製の機器では次の契約に必要な米海兵隊のセキュリティ要件を満たすことができないことが判明した。わたしは「もはやこれまでか」と会議室の天井を仰ぎつつ「そこをなんとかできませんか？」と訊いたが、開発陣は押し黙ったままだった。

ところが翌週に開発窓口のＭヅキから電話がかかってきて「ひとつだけ方法を見つけました」というのだ。その日のうちに横浜の開発本部に駆けつけて話を聞くと「米国製のゼロックス機を輸入して国内向けに改造します」という。ゾンビ状態だったわたしはふたたび人間に生き返り、自分が富士ゼロックスというメーカーの人間であることを幸運に思った。

米国から持ってきた機械を改造し、限定的に日本の市場へ投入するという事態は他メーカーにとっては、ほぼ一〇〇％起き得ないことだった。カストマーサービス本部のＭモト、現場は岩国のＴサキ、Ｔナカ、沖縄のＴキノキ、Ｔヤマの苦労の末、基本的な部分での機械トラブルの多かったこの輸入機も、無事契約期間終了までもたせることができた。

米国防総省がカード認証を必須仕様としたときも日米のシステムのちがいから大きな壁にぶち

当たった。このときも解決方法は存在しないように思われた。けれども前回のこともあるから、最後の最後まであきらめず、とりあえずＭヅキの後任となったＭバタに面談のアポを取った。開発本部に到着して、いつものように上のフロアに上がるのかと思ったら、Ｍバタに二階の受付にあるソファに案内され、腰を下ろした途端「阪東さんのためなら何でもやります」というのだった。わたしは個人的にＭバタと飲んだこともなければ、食事すらしたこともなく、ただそれまでに会議に同席したり、相談したりしていただけだったからこれには驚いた。わたしはＭバタが「何とかします」というのだから一〇〇％何とかなると信じた。逆にＭバタも、開発側が何とかすれば営業が稼いでくれる、と信じてくれていたはずだ。Ｍバタが受付のソファで話したかったのは、上のフロアに上げたわたしの姿を開発メンバーの目に触れさせたくないからだと思った。開発側からすると営業は「これをやってくれないと一〇〇〇台の契約が吹き飛ぶ」とか「社長からも早急に何とかするようにと指示が出た」というような、本当か嘘かわからない脅しで難題を吹っかけてくるヤクザみたいな存在に見えていたはずなのだ。

　そんな優しい開発陣にすっかり甘え切ってしまっているのが富士ゼロックスの営業だったが、こういった個別的な特例対応に時間と人力と経費を費消するのは、メーカーとしてはやはり異例なことだった。

先祖がえり

さてカラー化の後、いよいよ次の一手がなくなったと思われた富士ゼロックスであったが、米ゼロックスはまたまた新手を捻り出した。企業内機器最適化というコンセプトを元にＸＯＳというサービスビジネスを開始したのだ。

ＸＯＳに先だって、米ゼロックスに見習って始めていたのがアウトソーシングを中心としたサービスビジネス事業である。これもまたスタート時には苦労の絶えない仕事だった。

米軍市場を復活させた後、わたしが営業マネージャーとして深く関わった分野でもあり、多くを語りたいところなのだが、今まさにサービス事業を本格化、多角化している最中で、わたしがここに具体的な内容やら課題を記すわけにはいかない。ただ、ひとつだけ明確にしておきたいことがある。それはサービスビジネスは今に始まったものではなく、それどころか富士ゼロックスのビジネスにおける原点ですらあったという事実である。わたしも先輩も後輩も、新人研修時代に徹底して教え込まれたのは「富士ゼロックスは機械を売っているのではく、あくまでも機械をサービスの一部として提供している」というコンセプトである。サービスは富士ゼロックスの歴史そのものなのだ。ただ時代と市場が要求しているサービス内容が複雑化、多様化してきているだけのことで、業務改善の手助けをすることで対価を得る、という肝腎な一点は何も変わっていない。確かに「コピー機そこに置いといてくれればそれでいいよ」という顧客も少なくはなかったが、それよりはるかに多くの顧客が富士ゼロックスに何かを期待してくれた。この顧客との距離の近さが富士ゼロックスのセールスの持ち味だと信じている。

ＸＯＳはドキュメントのアウトプット周辺を全社的に統合し、シンプルかつ効率的に管理するためのサービスである。機器最適化というのは、機械管理に有効なさまざまな付帯システムを駆使しつつ、例えば同じフロア内に分散して設置してある五台の複合機、一〇台のプリンター、二台のファックスを一台、もしくは二台の高速複合機に集約しましょうと提案することだ。それまで富士ゼロックスのセールスたちにとっては一台でも多く機械を販売するのが正義だった。ところがこんどは顧客に、「やっぱり多過ぎたから、減らしましょう」といえというのだ。全社規模の機器最適化と一元管理によるコスト削減がウリだったが、顧客内部の事情もあって販売はそう簡単ではなかった。多くの企業におけるコピー機の入れ替えや導入は長い間、伝統的に総務部が行ってきた。だから大概の場合は総務部長と仲良くなるのが契約への近道だった。一方でパソコンを始めとするシステム機器を担当しているのは総務部ではなくＩＴ部門である。そしてプリンターがシステムの一部とされた時代が長くつづいたため、プリンターの導入に関しては総務部ではなく、ＩＴ部門が権限を握っている企業が多かった。したがって複合機にコピー機とプリンターを集約させるためには、総務部門とＩＴ部門の話し合いが必要で、多くの場合「複合機に集約する場合、今後の機種選定と契約はどちらの部門の責任になるか」という引っ張り合い、もしくは押し付け合いの社内問題が発生した。さらに総務部は総務部のひいきのメーカーがあり、ＩＴにはＩＴのひいきメーカーがあって、しばしば意見は衝突した。

危険なのはＸＯＳを提案したはいいが、競合メーカーと仲の良いＩＴ部門の強い押しでこれまで総務部を通して契約していたコピー機もしくは複合機が解約されてしまう可能性だった。つまり欲をかきすぎて、元手を失ってしまうことになりかねないのだ。そういったヤブヘビ事態を防ぐため、ＸＯＳをセールスする際には総務部でもなくＩＴ部でもなく企業の経営層へ提案しろという指示が下ったが、会社の上層部に対して出力端末への関心を向けることは簡単ではなかった。

またＸＯＳの導入で富士ゼロックスと各地の販売会社の間に大きなひずみが生じた。ＸＯＳはそのコンセプト上、一定規模以上の組織でなければ顧客側のメリットがなかったため、もともと販売会社の扱う商品には不適であったことに加えて、ＸＯＳに組み込まれた機械は、既存の販売会社の契約から外され、富士ゼロックスの一括管理となってしまうというルールができたのだ。これには販売会社セールスの不満が爆発した。もちろん富士ゼロックスは販売会社の減った分の見返りを保証したため、販売会社には直接的な不利益はなかった。ところが各企業を担当しているセールス一人ひとりにしてみれば折角、近々に入れ替えを計画していたＰＰ（見込み客をこう呼ぶ）や、普段から懇意にしていた顧客があっさり富士ゼロックスに攫われてしまうのだ。競合に負けるなら諦めもつくが、富士ゼロックスに取られるなんて。

これまでは販売会社の社長、および経営幹部には富士ゼロックスの販売部門の事業部長、部長を経験した人材が代々入れ替わりで就任するという見えないレールが敷かれていた。つまり販売会社の社員にはヒラリー・クリントンがしばしばジェンダー問題で引用したガラスの天井、すなわち目には見えない昇進の天井があったのだ。富士ゼロックス側としてみればグループ統制を維持するための必要措置ではあったろう。しかし販売会社から見ると役職定年を迎えた人材の受け皿として自分の会社の社長席があるという、どこか自主独立できない状態に甘んじている感が強かった。だから親会社としての富士ゼロックスは煙たがられていた、いや、もっとはっきりいえば嫌われていた。ところがそれが変わる。四月一日の社名変更に伴い、販売体制が大きく変わることになったのだ。富士ゼロックス直の販売部隊と全国の販売会社が統合され、富士フイルムビジネスイノベーションジャパンという名（長すぎると思う）の販売会社として独立する。もうそこには壁も天井もない。ついにメーカーとしての富士フイルムビジネスイノベーションと販売会社としての富士フイルムビジネスイノベーションジャパンの二手に分かれることになったのだ。先祖返りするのだ。販売会社として始まった富士ゼロックスはメーカーとなって成長を遂げ、分身が富士フイルムビジネスイノベーションジャパンという名の販売会社へと戻っていく。

　今、わたしの目には、太く立派な二本の幹が、寄りそうでもなく、離れるでもなく、並んで空に向かって伸びている姿が見えている。きっとうまくいく。

富士ゼロックスの体質

以下の五つの要素が富士ゼロックスの文化、社風として社員の思考と行動を決定づけてきた。

一　戦争を知らない企業である。

戦前の文化や習慣を引き摺ったまま高度成長期に突入した多くの日本メーカーとの大きなちがいだ。今でいうところのサービス残業なんて当たり前、日本企業が総ブラックだった時代にあって「モーレツからビューティフルへ」というキャンペーンを行ったり、日本がバブル経済に沸き立つ最中に「Ｎｅｗ Ｗｏｒｋ Ｗａｙ」でハードなだけの働き方を見直そうとしたり、旧来型の企業にはない新しい発想を積極的に取り入れる企業だったのだ。米ゼロックスの影響もあって、自由な社風が特徴的だった。現在の社内文化への影響度でいうとたぶん五ポイント程度だろうが、未だ旧日本企業体質を残している富士フイルムの文化が混じり合うことによって、今後企業体質はやや時代を逆行すると思う。

二　設立当初の約一〇年間、実質的にはメーカーではなく販売会社だった。

これはこの本の冒頭でも述べたが、機械メーカーでありながら販売側の力が強いという一大特性であり、今なお根強いものがある。小林節太郎に始まって現在まで九名の社長が就任しているが富士フイルムからやってきた現社長の玉井光一を除けば、開発出身者は第七代の山本忠人のみであることが販売サイドと開発サイドの見えない力関係を象徴している（山本が社長に就任してから始めた製販合同プロジェクトで初めて開発現場のメンバーの顔を見たというセールスが多かった）。

それだけに売るためなら何をやっても良いという、野放図でヤクザな体質を払拭するには長い年月が必要だった。じっさいわたしが営業を始めた頃は、訪問した会社の担当者から「オレの目の黒いうちはゼロックスと契約することはない」といわれて追い返されることも少なくなかった。当時は「デモ」といって、無料で試しに使ってみてください、と機械を置いてくる手法が最も効果的だとされていたのだ。上司も「デモ取り」「デモ取り」とうるさかった。機械を置いたはいいが、なかなか引き取らず、なんとかごり押しで契約に漕ぎ着けようとした先輩が多かったのだ。社風への影響度は二〇ポイント。

三　開発製造と販売手法のベースを米ゼロックスに倣った。

デジタルカラー機時代の到来で米ゼロックスと富士ゼロックスのメーカーとしての立場は逆転した。長い年月をかけて、ついに富士ゼロックスは米ゼロックスの心臓を自分の身体に移植することに成功したのだ。メーカーが世に出す製品はすべからくトライアンドエラーの結果としての集積体であり、この知見こそがメーカーの財産であり、次の新製品を生む地盤となるわけだ。そういった意味で富士ゼロックスは精密機器メーカーとして、今や一流といっても良いかもしれない。問題は既存技術を使った製品以外のフィールドにからっきし弱いことだ。ハンディスキャナーの「写楽」や携帯電子翻訳機の「流暢」といった変わりダネ商品はあったとしても、コピー機や複合機以外で生んだヒット作は文書管理ソフトのＤＯＣＵＷＯＲＫＳ（ドキュワークス）のみといって良い。新しい次の一手を捻り出さないと先はない。これは販売側もまったく同様である。これまでの富士ゼロックスは米ゼロックスが敷いてくれたレールの上を走っていれば良かったが、これからはそうはいかない。社風への影響度は三〇ポイント。

四　販売後にも毎月売上が上がってくる。

　これは収支の部分に大いに寄与してきた最大の要素だが、箱売りの「売れた売れない」だけの会社に比べると緊張感を欠くという点で富士ゼロックス独特のぬるま湯文化の温床となった。たとえ今日の一台が売れなくても明日食うのに困らないのだ。そしてこのぬるま湯体質は保守性となって社内に蔓延した。組織というのはいったんできあがってしまうと、すべからく保守の方向を向く。富士ゼロックスの社員間では「官公庁体質」と呼んでいたが、ちょっとしたルールを変えるだけのためにも、とてつもない時間と回り道が必要だった。社風への影響は四〇ポイント。

五　ゼロックスというブランドに多少なりともプライドがある。

　富士ゼロックスは毎年一回、モラルサーベイで全社員の意識を調査してきた。時代によって、さまざまな指標がブレはしたが、ゼロックスというブランドに対してネガティブに感じている社員は少なかった。ただ社風への影響度は五ポイント程度だろう。

赤と緑は企業文化の交差点

明治の開闢以来一五〇年、戦後七五年以上が経過した日本だけれども、未だに新しいモノの多くは海の向こうからやってくる。正確にいえば形のあるモノに関しては日本も発信国になっているかもしれない。しかしながら困ったことには最近のモノは従来のモノの形をしていないのだ。まるっきり新しい発想やコンセプトは昔から日本人の苦手分野である。富士ゼロックスは親が米ゼロックスだから、米国で生まれたモノを真似することにより、いつだって競合メーカーより最初の一歩が速かった。Ｊスターによるローカルエリアネットワークしかり、ドキュテックによるオンデマンド・プリントしかり、ＸＯＳしかり、サービス化しかり、富士ゼロックスの方向性を決める大転換ポイントでは、すべて米ゼロックスを真似てきた。明治以来の舶来信仰は、少なくとも富士ゼロックスにおいては脈々と生きつづけてきたのだ。

富士ゼロックスという会社の強みを製品の品質や営業力と思っている人は多いが、じつのところ最大の強みは、欧米が先行する新しいビジネスやコンセプトを、競合メーカーに先んじて米ゼロックスを通して手に入れることができたという一点に尽きる。

この重要な点が世間にさほど認知されていない最大の理由は、ゼロックスと富士ゼロックスがほぼ同一視されてきたからである。

二〇二一年四月一日から富士ゼロックスは富士フイルムビジネスイノベーションと富士フイルムビジネスイノベーションジャパンに分かれて再出発する（しつこいが長々しい社名だと思う。冒険をしない富士フイルムの保守的なセンスが心配だ）。社員は同じなのだから、名前が変わるだけに思えるかもしれない。ところがこの変化はブランド名やロゴの変化ではすまされない、根源的な課題を抱えているのだ。先を走るゼロックスというペースメーカーの背中が消える今、これまでは頭一つ先を走ることができた富士ゼロックスは集団に呑み込まれることになる。製品力もある、営業力もある、だから負けないというのは錯覚だ。フライフィッシングの世界にノーマン・マクリーンの『ア・リバー・ランズ・スルー・イット』という名著があって、その自伝的小説に登場するモンタナの兄弟は喧嘩早い、いわゆるストリート・ファイターなのだが、勝敗は力の強さではなく、最初の一撃に宿っていると著者は書いている。卑怯だと思われてもいいから、ともかく先に手を出すことが喧嘩のすべてだという。文字通りの先手必勝だ。富士ゼロックスは社名と同時に、この最も重要な一撃のチャンスを失うことになる。

　すでに富士フイルムとの融合が始まっていた二〇一三年、わたしは新任部長研修で富士フイルムのメンバーと共に三日間のトレーニングを受けた。三〇年以上富士ゼロックスに勤めながら、富士フイルムの社員と初めて話をした。極めて優秀だし、なによりも真面目だった。わたしは自分自身を富士ゼロックスの良いところと悪いところ、たぶん後者をいくぶん多めに有した典型的なセールスだと思っていたが、まるで正反対に位置しているのが富士フイルムの社員だった。これからは管理層の交流だけでなく、全社的な交流によって変容の速度を上げる必要があると思う。富士フイルムビジネスイノベーションと同ジャパンが成長するためには、ふたつの文化の融合が鍵となるはずだ。東西が交わって栄えたイスタンブールのように、幸いなことに富士フイルムビジネスイノベーションと同ジャパンは、今まさにゼロックスと富士フイルムのふたつの文化のど真ん中に立っているのだから。健闘を祈る。

最後にどうしてもいっておきたいことがあります。

これまで富士ゼロックスを応援してくださったお客さま、ほんとうにありがとうございました。お客さまに少しでも近づくことが仕事だと信じてやってきました。そう先輩から教わり後輩にもそう伝えてきました。そしていつだってわたしを助けてくれたのはお客さまでした。会社同士のビジネスが、じつは人と人との信頼関係であることを学ぶことができたのも、皆さまの暖かい心があったからこそです。機械とサービスを売っていたつもりでしたが、皆さんが買ってくださっていたのは、じつはわたしたち富士ゼロックスの人間に対する信頼だったように思います。心から感謝いたします。長い間ほんとうにありがとうございました。社名は変わっても、お客さまに近づきたいと思う気持ちだけは変えられません。最後の最後に厚かましいお願いですが、どうかこれからも富士フイルムビジネスイノベーションの後輩たちを応援しつづけてあげてください。

さようなら富士ゼロックス

著者　阪東幸成

二〇二一年三月三一日　初版第一刷発行

写真　ふらい人書房　編集部

装丁　ふらい人書房　編集部

発行日　二〇二一年三月三一日　第一版

発行者　ふらい人書房

印刷所　株式会社　藤プリント

発行所　ふらい人書房

東京都町田市三輪緑山二-二五-二

HP　www.flybito.net

e-mail　flybito@me.com

ISBN978-4-909174-07-9

9784909174079
1920034006009

ISBN978-4-909174-07-9
C0034 ¥600E

ふらい人書房
定価（本体価格 600 円＋税）

ふらい人書房